Loi 49-956 du 16 juillet 1949 sur les publications destinées à la jeunesse
Dépôt légal : second semestre 2013
N° d'édition : 19992 - ISBN-13 : 978 2 226 23977 8
Imprimé en France par Pollina - L65294

Attention aux PRINCESSES !

texte de Cédric Ramadier

images de Clément Devaux

Albin Michel Jeunesse

AFFAIRE EN OR
Bijou
LESSIVE
Diamant
Royal Soup
Perle

Princesse, une si jolie image

Qu'est-ce qu'une Princesse ? Un sourire angélique, des cheveux soyeux, une allure gracieuse ; une robe brodée de fils d'or, des souliers de vair, des bijoux étincelants. Une Princesse, ça brille de mille feux, ça scintille, ça pétille. Une Prin…

Stop ! Je vous arrête tout de suite. Oui, une princesse peut être tout cela, mais si vous êtes de ceux qui pensent que les princesses ne sont que de petites créatures fragiles et délicates qui peuplent gentiment les contes de fées, ce livre n'est pas pour vous.

Car ici, vous allez entrer dans l'intimité de vraies princesses ; vous allez découvrir leurs manies cachées, leurs secrets inavouables. Et vous verrez que si certaines cherchent, coûte que coûte, à épouser le Prince charmant, d'autres ont bien l'intention de rester célibataires.

Parce que toutes les princesses ne sont pas bonnes à marier, jeunes et preux chevaliers, fuyez !

Il n'y a pas d'âge
pour être une Princesse.

*La Princesse sale
est prête à tout
pour échapper à son bain.*

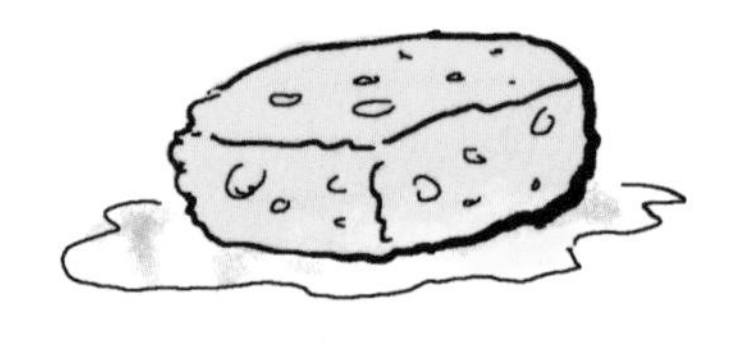

Faut-il vraiment suivre partout la Princesse alpiniste ?

Minuit peut sonner,
la Princesse garagiste sera prête !

La Princesse amoureuse
est parfois un peu collante.

Quand elle part en vacances,
la Princesse nomade n'emporte
que le strict nécessaire.

La Princesse géante a oublié sa pantoufle au bal du château.

*La Princesse poilue
a une garde-robe
minimale.*

La Princesse policière
est très à cheval
sur le respect de la loi.

Comment distinguer avec certitude une Princesse d'une sorcière ?

La Princesse coquette
en fait parfois un peu trop.

La Princesse artiste est en avance sur son temps.

La Princesse myope
a réussi à épouser
un vrai crapaud !

Il semblerait que l'on ait perdu la Princesse microscopique.

*La Princesse économe
fait toujours les soldes
avant de convoler
en justes noces.*

ARKET
PROMO

Aucun prince n'a encore réussi à rattraper la Princesse sportive.

La Princesse célibataire semble vouloir le rester.

La Princesse agricultrice a mis au point une méthode très efficace pour faire ses récoltes.

La Princesse insolente
a été punie par
sa marraine la fée.

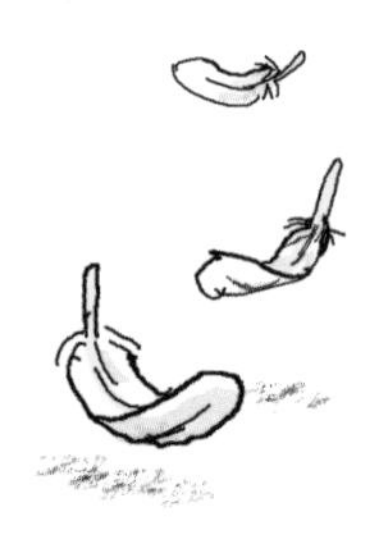

La cyber-Princesse
commande tout
ce dont elle a besoin
sur Internet.

AGILE
FRAG
IR MAIL

*La Princesse sourde
a bien du mal
à se réveiller le matin.*

*Mieux vaut ne pas s'intéresser
de trop près au fiancé
de la Princesse jalouse.*

Qui peut résister
à la Princesse catcheuse ?

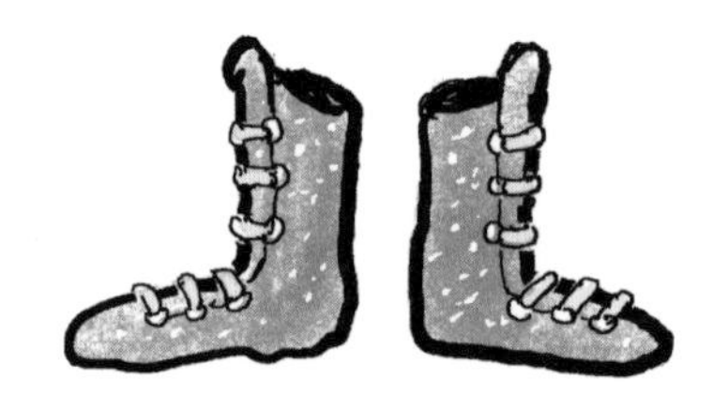

Ne vous fiez pas
aux apparences,
la Princesse musclée
est en fait très délicate.

La Princesse capricieuse a encore exigé l'impossible.

Les acrobaties
de la Princesse gymnaste
dépassent souvent
toutes les espérances.

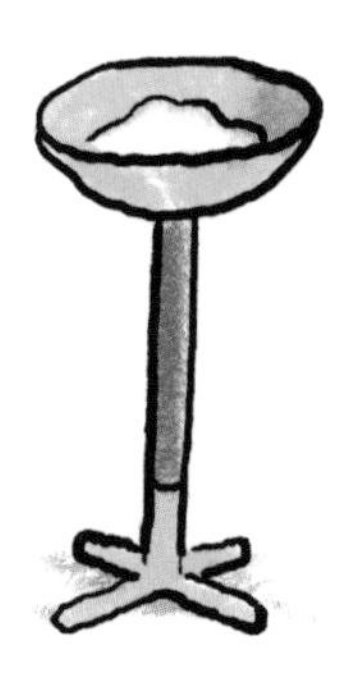

10

La Princesse cycliste
ne rate jamais une chasse à courre.

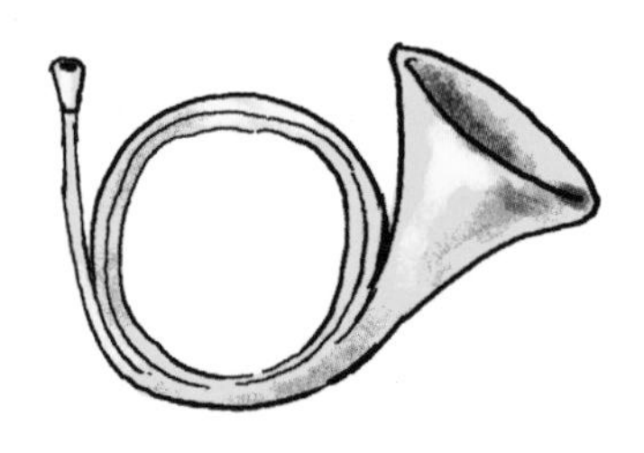

*La Princesse mal élevée
semble ignorer les bonnes manières
propres à son rang.*

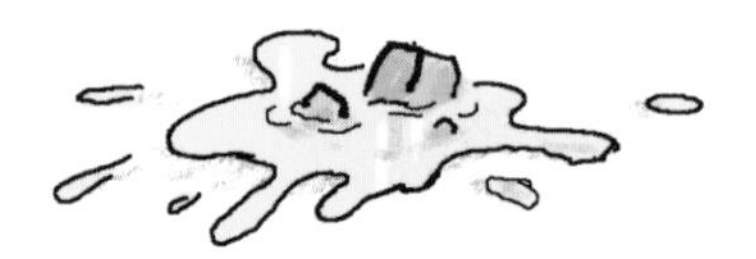

Sauve qui peut !
C'est au tour
de la Princesse maladroite !

C'est vraiment dommage
pour la Princesse malchanceuse.

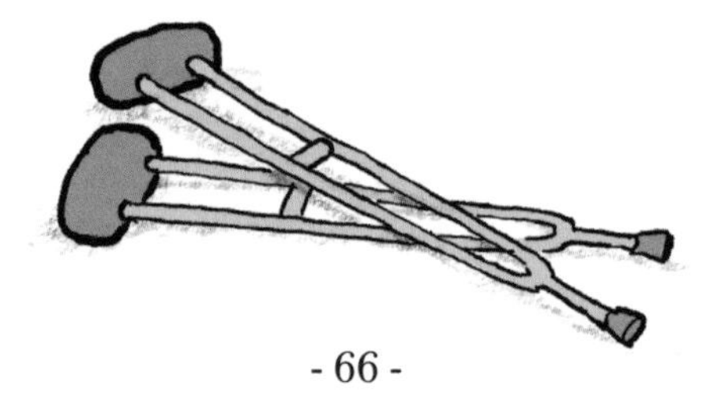

JO

Dites-moi,
Princesse gourmande,
vous n'auriez pas
vu mon cheval ?

La Princesse cow-girl
a trouvé un prince
qui lui plaît beaucoup.

Nous n'avons plus de nouvelles de la Princesse nageuse.

Chut…
ne réveillez pas la Princesse endormie.